KU-168-767

I gcuimhne ar m'athair, Dewi Wynn, agus ar athair mo chéile, Cóilín Tom Ó Gaora. Do Scoil Náisiúnta an Ghoirt Mhóir.





ISBN 1-85791-226-8

Arna chlóbhualadh in Éirinn ag
Criterion Press Teo.

Le ceannach ó Oifig Dhíolta
Foilseachán Rialtais,
Sráid Theach Laighean,
Baile Átha Cliath 2,
nó ó dhíoltóirí leabhar.
Nó tríd an bpost ó:
Rannóg na bhFoilseachán,
Oifig an tSoláthair,
4-5 Bóthar Fhearchair,
Baile Átha Cliath 2.

An Gúm, 44 Sráid Uí Chonaill Uacht., Baile Átha Cliath 1

# MICÍ AR AN bPORTACH

Gwyneth Wynn
a scríobh agus a mhaisigh

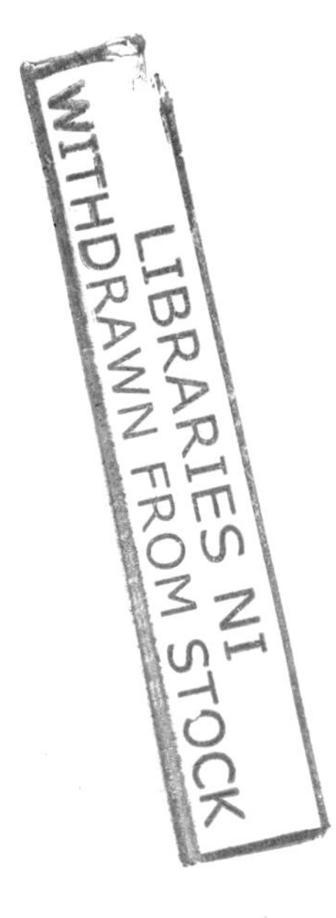

Feiliúnach do pháistí ó 6 go 9 mbliana d'aois

AN GÚM
Baile Átha Cliath

‘Éirigh suas, a mhaicín! Tá obair le déanamh inniu againn!’

Sin mar a dhúisigh Teidí Micí maidin bhreá amháin.

‘Obair?’ a dúirt Micí. ‘Cén sórt oibre?’

‘Bhí triomach maith ann le cúpla seachtain agus tá móin le baint,’ arsa Teidí. ‘Seo, tá do bhricfeasta réidh agus tá ceapaire réitithe agam le haghaidh lóin.’

Tar éis bricfeasta, chuaigh Teidí agus Micí amach ar an bportach. Bhí sleán agus spád ag Teidí agus píce ag Micí.

Mharcáil Teidí amach an áit a bhí le baint agus ansin, thosaigh sé ag scrathadh. Bhí Micí ag éirí beagán mífhoighdeach.

‘Cén uair a bheidh mise ag déanamh rud éigin?’ a d’fhiafraigh sé.

‘Hó hó!’ arsa Teidí, ‘bainfidh mé neart oibre asat ar ball!’

Nuair a bhí an portach scraite ag Teidí shuigh siad síos agus a ndroim le carraig ag ithe lóin. Bhí an lá an-te.

Nuair a bhí a gcuid lóin ite acu, dúirt Teidí, ‘Anois, a Mhicí, a mhaicín, tosóidh mise ag baint agus bí thusa ag scaradh.’

Bhuel, nach Micí a bhí ina fhear mór anois! Thosaigh sé ag obair ina thoirneach, ach ansin, tar éis uair an chloig, bhí sé chomh lag le luch, maraithe leis an teas agus le tuirse.

Phléasc Teidí amach ag gáire. ‘Anois, a Mhicí bhoicht!’ a dúirt sé, ‘beidh a fhios agat as seo amach é – tóg d’am agus mairfidh tú níos faide!’

Tar éis cúpla seachtain, bhí an mhóin uile bainte agus scartha agus bhí cúpla lá scíthe acu sula raibh orthu a ghabháil amach ar an bportach arís ag gróigeadh.

Thaispeáin Teidí an cheird dó agus chaith siad an lá ag déanamh tithe beaga leis an móin, le go dtriomódh sí.

An-aimsir a bhí ann agus ba ghearr go raibh an mhóin sách réidh le cur ar thaobh an bhóthair. Thosaigh siad ag tógáil cruach bhreá mhóna, ag leagan chuile fhód os cionn a chéile ar nós brící.

Chuaigh Micí chuig ceann de na gróigeáin agus bhí sé díreach le ceann de na fóid a bhaint aníos nuair a d'airigh sé guth beag lách á rá: 'Ó! Ná leag mo theachín beag! Bíodh trua agat domsa agus do mo leanaí beaga!'

Bhreathnaigh Micí isteach idir na fóid agus chonaic sé dhá shúil bheaga gheala ag breathnú amach air féin.

Luichín fhéir a bhí ann! Bhí nead bheag bhreá chompordach aici sa teachín beag – díreach ceart le haghaidh na luichíní beaga a bhí aici.

'Cinnte, a luichín bheag!' a dúirt Micí. 'Nach bhfuil neart gróigeán ar an bportach againn. Tuige nach mbeadh muid in ann ceann a fhágáil agat.'

'Aoibhinn Dia duit, a ghaidhrín uasail!' arsa an luch.

D’inis Micí an scéal do Teidí ar an bpointe ar fhaitíos go mbainfeadh seisean an gróigeán aníos gan fios ar bith a bheith aige go raibh cónaí ar theaghlach beag ann.

Amach sa gheimhreadh agus an aimsir fuar agus na hoícheanta fada bhí tine bhreá thíos ag Teidí agus Micí mar gheall ar obair an tsamhraidh. Mar ba ghnáth, bhí Teidí ag léamh leabhar éigin (agus corr-néal ag teacht air). Ag breathnú ar an teilifís a bhí Micí, ar ndóigh. D'airigh Micí torann beag bídeach ag an doras.

D'oscail sé an doras píosa beag agus céard a bhí ann ach an luch fhéir bheag agus í ag creathadh leis an bhfuacht. Lig Micí isteach í agus thug Teidí coirce di. D'fhan an luch bheag leo ar feadh an gheimhridh.

Nuair a tháinig an lá a raibh an luch ag fágáil slán acu, dúirt Micí leis féin: Meas tú an bhfeicfimid arís í nuair a bheidh an mhóin gróigthe againn? Beidh orainn a bheith cúramach, ar fhaitíos na bhfaitíos . . .

GW